Edición a cargo de Verónica Uribe
Dirección de arte: Iván Larraguibel

Primera edición, 2013

© 2013 Maggie Maino
© 2013 Ediciones Ekaré Sur Ltda
© 2013 Ediciones Ekaré

Av. Luis Roche, Edif. Banco del Libro, Altamira Sur.
Caracas 1062, Venezuela

C/ Sant Agustí 6, bajos. 08012 Barcelona, España

www.ekare.com

ISBN 978-84-940256-7-9 · Depósito Legal B.26068.2012

Impreso en China por South China Printing Co. Ltd.

TÚ Y YO

maggie maino

ediciones ekaré

Tú

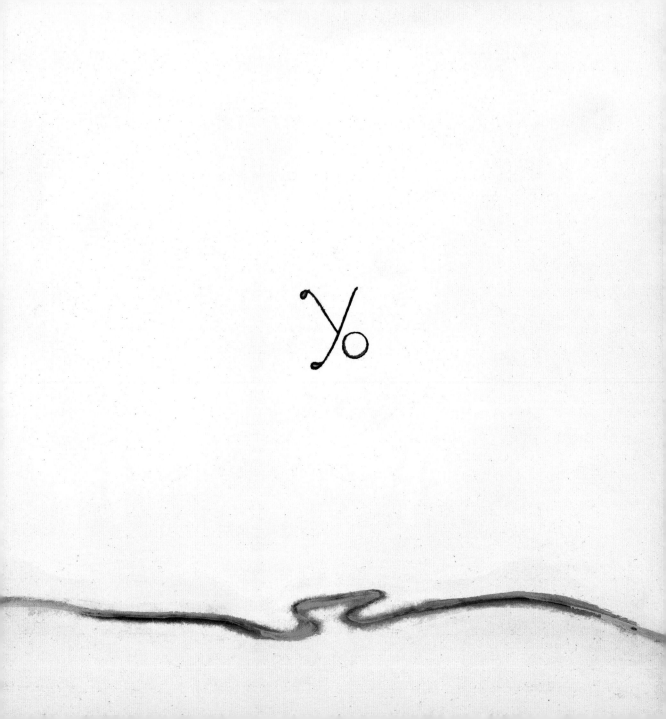

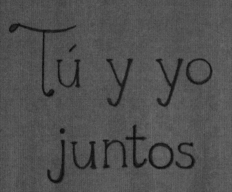

Tú y yo
juntos

preparados

y listos...

corremos...

¡ saltamos !

rodamos

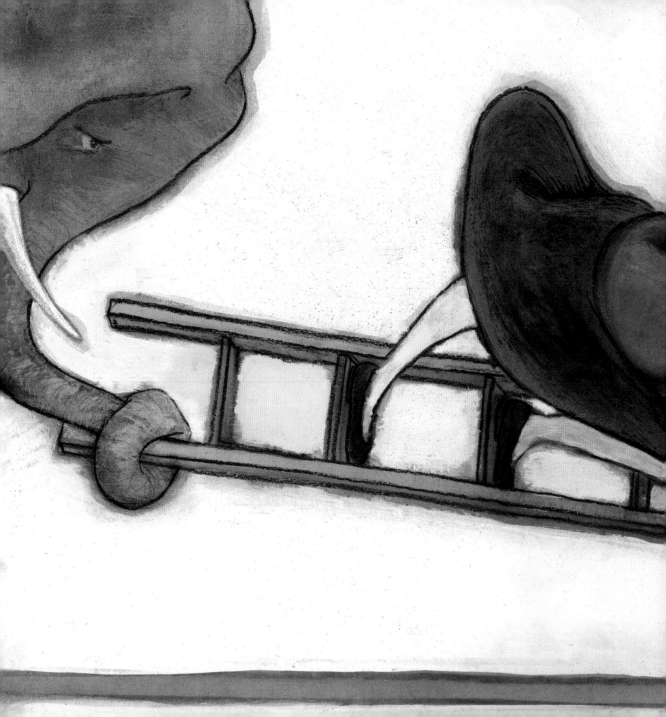

¡bajamos!

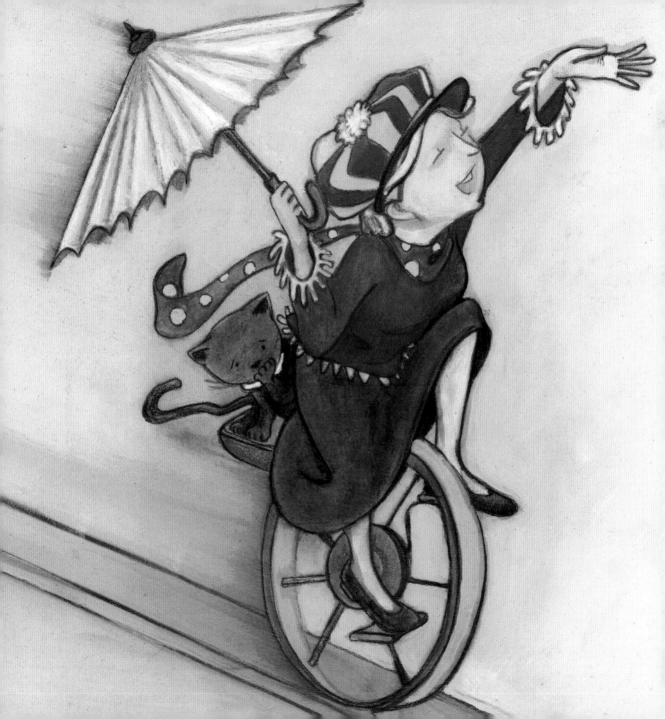

¡ caemos !

y por eso...

Tú y yo juntos,
¡somos espectaculares!